En la colina

Jorge Luján

Ilustraciones de

Emiliano Ponzi

ARTES
DE MEXICO

En la colina

Artes de México, 2005
Primera edición

Edición: Margarita de Orellana
Coordinación editorial: Gabriela Olmos
Diseño: Artes de México
Corrección: Silvia Lona

© Del texto: Jorge Luján
© De las ilustraciones: Emiliano Ponzi

D.R. © Artes de México, 2005
    Córdoba 69
    Col. Roma, 06700, México, D.F.
    Teléfonos 5525 5905, 5525 4036

ISBN: 970-683-139-8

Impreso en Hong Kong

LA COLECCIÓN JOVEN DE ARTES DE MÉXICO

Libros del Alba

En la colina

Jorge Luján

Ilustraciones de

Emiliano Ponzi

ARTES
DE MEXICO

Estos árboles en círculo...
Estas vacas pastando...
¿Vivirían felices aquí si
no estuviera la casa?
No lo sé, No puedo saberlo.
¿Me extrañarían, tal vez?

Oh, los chicos de las bicis!
Cómo me gustaría tener una
y partir con ellos y, al mismo tiempo,
no sé si estoy listo para alejarme
demasiado de nuestra casa. Ella guarda mis sentimientos
mejor que mi corazón, guarda los paseos de mi cuerpo
y de mi mente.

Poco a poco
oscurece pero no
tengo sueño.
Ante la pantalla de mi
mente siguen pasando
y paseando los ciclistas.
Por la ventana veo la parte
alta de la colina, en la que aún
brilla el sol. Desearía
correr hacia ese lugar,
llevar la brocha
con la que mi papá suele
pintar el techo
y dibujar algo sobre el pasto.

Salgo por fin, y el día resplandece.
¿Ha transcurrido toda la
noche frente a mis ojos
abiertos? Subo hasta la
cima. ¿Qué veo? La brocha
olvidada en la colina y, sobre
el pasto,

unas líneas de color rojo,

escubro que las líneas
forman una bicicleta
enorme. Sonrío y me
recuesto junto a ella para mirar
desde allí el horizonte. Luego, casi
sin notarlo, cierro los ojos y
siento el aire en la cara:
avanzo veloz por el paisaje con
los pies
suspendidos
sobre
los
pedales.

Voces cercanas:
    los chicos de las bicis.
Seguramente quieren alcanzarme
    pero yo pedaleo y pedaleo.
        Cuchichean. No debo alzar
    los párpados si no quiero
extraviar el camino.

Alguien habla:
"Le dejaré un regalo",
dice. Oigo pasos
ligeros,
voces alejándose,
y un rodar que se
adelgaza como
un hilo y
desaparece.

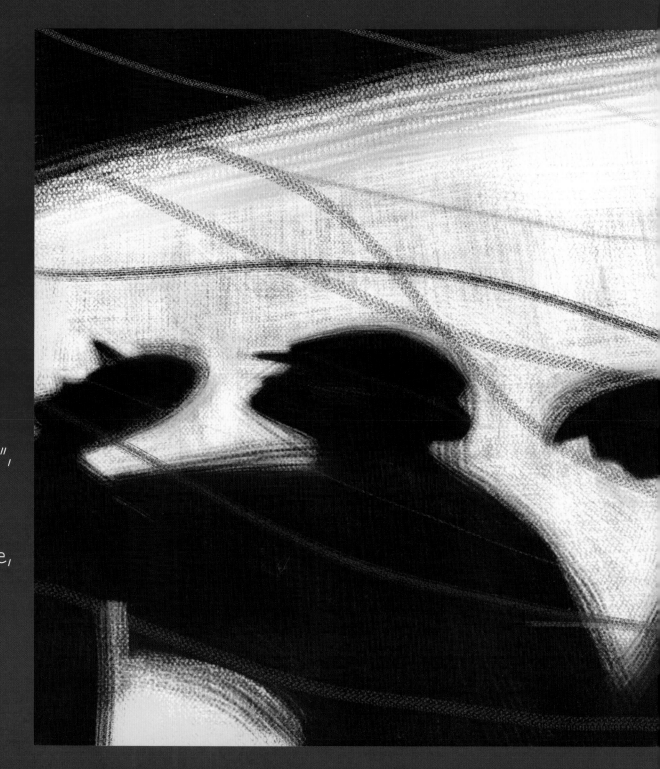

Abro los ojos, Nadie,
Apoyada en un muro
de la casa encuentro una
bicicleta con una nota amarrada
en el volante: "Te la dejo,
Ya me queda pequeña...
Después de contemplar
tu dibujo en el pasto
siento que he crecido,
Ah, y no te apenes
porque te haya dejado mi bici,
yo me llevo la tuya en la mirada,
Aunque ahora me queda grande,
ya aprenderé a manejarla
para recorrer de día
mis sueños",

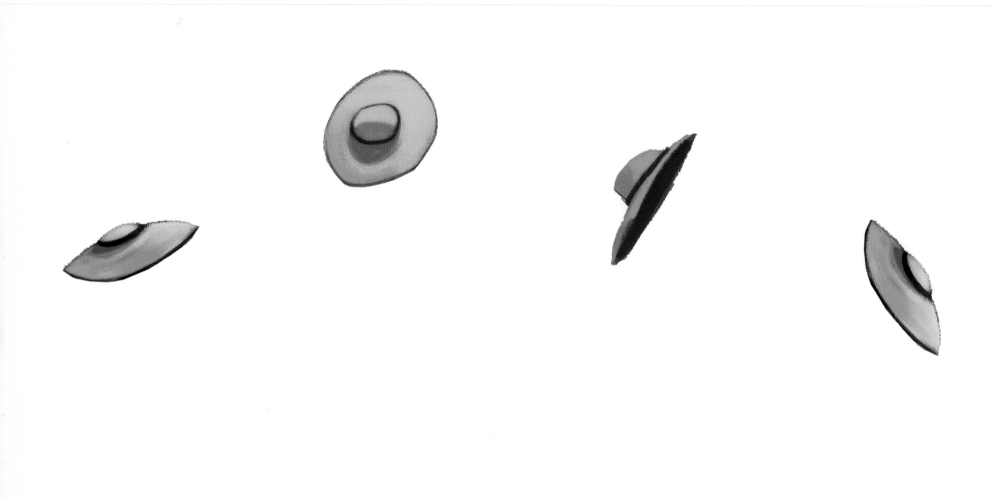

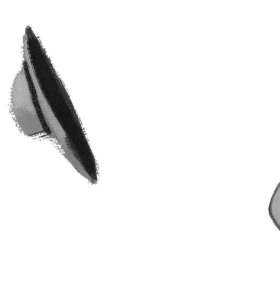

En la colina

de Jorge Luján con ilustraciones de
Emiliano Ponzi, se terminó de imprimir
en diciembre de 2005 en Hong Kong,
en los talleres de Asia Pacific Offset.
El tiraje fue de 6 000 ejemplares.